LE DRAGON DE FEU

Cet ouvrage a initialement paru en langue anglaise en 2007
chez Orchard Books sous le titre :
Ferno, the fire dragon

Conception graphique et colorisation :
Valérie Gibert et Philippe Sedletzki.

Hachette Livre, 58, rue Jean Bleuzen 92178 Vanves Cedex.

Adam Blade

Adapté de l'anglais par Blandine Longre

LE DRAGON DE FEU

hachette JEUNESSE

LES PLAIN
LES MONTAGNES DU NORD
LA FORÊT DE LA PEUR
LE VASTE OCÉAN
LA RIVIÈRE
SINUEUSE

Avantia

E GLACES

ES GRANDES PLAINES

LES PRAIRIES

LE PALAIS
DU ROI
HUGO

LA CITÉ

ERRINEL

TOM
Tom, le héros de
cette histoire, aime
l'action et l'aventure : il a
toujours voulu devenir chevalier.
Sa mission est risquée, et il lui arrive
d'avoir peur… mais il sait aussi se
montrer très malin ! Par chance, il peut
compter sur son amie Elena, sur son
cheval Tempête, et sur son épée, dont
il se sert très bien. Son rêve le plus cher :
retrouver son père, qu'il n'a jamais
connu.

ELENA
Cette jeune orpheline
accompagne Tom dans
ses aventures. Courageuse,
astucieuse, et plutôt
têtue, elle est experte au tir à l'arc.
Elle a tendance à se fâcher, surtout si
Tom la taquine ! Mais elle n'abandonne
jamais ses compagnons quand ils sont en
danger. Avant de rencontrer Tom, son
seul ami était Silver, un loup. Très attachée
à Silver, elle s'inquiète souvent pour lui…
parfois un peu trop !

Bienvenue à Avantia !

Je m'appelle Aduro. Je suis un bon sorcier et je vis au palais du roi Hugo.

Les temps sont difficiles. Dans les Textes Anciens, il est écrit qu'un jour, un grand danger menacera notre paisible royaume.

Ce jour est venu.

Malvel, un sorcier maléfique, a jeté un sort aux six Bêtes qui protègent notre territoire. Ferno, le dragon de feu, Sepron, le serpent de mer, Arcta, le géant des montagnes, Tagus, l'homme-cheval, Nanook, le monstre des neiges et Epos, l'oiseau-flamme cherchent à détruire notre royaume.

Mais les Textes Anciens prédisent aussi qu'un jeune garçon délivrera les Bêtes.

Nous ne connaissons pas encore ce héros, mais nous savons que son heure approche... Espérons qu'il ait le courage d'entreprendre cette Quête.

Souhaites-tu attendre son arrivée avec nous ?

Avantia te salue.

Aduro

TOUT COMMENCE...

L'armure de bronze de Caldor le Brave brille dans le soleil matinal.

— Le dragon n'est pas loin, dit le chevalier en pointant son épée vers le sommet de la montagne.

— Bonne chance, messire, répond Édouard, son écuyer.

Caldor pose la main sur l'épaule du garçon. Ils savent qu'ils ne se reverront peut-être jamais.

Le chevalier enfile ses gants de fer, puis grimpe la pente. Ses pieds dérapent sur la roche, mais il continue de monter, de plus en plus haut. Bientôt, la brume l'enveloppe et Édouard le perd de vue.

Il règne un silence de mort.

Soudain, la montagne se met à trembler. Le garçon trébuche, quand une autre secousse le projette à terre.

— Caldor ! hurle-t-il. Revenez !

Paniqué, Édouard lève les yeux et voit deux rochers tranchants étinceler au soleil, prêts à s'effondrer. Puis la brume retombe et il aperçoit Caldor, agrippé au flanc de la montagne. Un œil luisant et d'épaisses écailles apparaissent derrière le chevalier.

Puis, une tête hérissée de pointes. Ce n'est pas une montagne… mais le dragon ! Et Caldor est accroché à son dos !

Terrifié, Édouard baisse les yeux et comprend qu'il est debout sur la queue de la Bête, et que les deux roches suspendues

dans le vide... sont des ailes ! L'écuyer voudrait fuir, mais la peur le fige sur place.

Soudain, le dragon déplie ses puissantes ailes.

— Il va s'envoler ! Caldor, vite...

— Fais demi-tour ! lance le chevalier. Cours prévenir le roi Hugo !

Au même instant, la créature terrifiante soulève sa queue. Elle se débarrasse d'Édouard qui retombe brutalement sur le sol, puis elle s'élève dans les airs. L'écuyer tente de rattraper son maître, mais le dragon a déjà pris de l'altitude. Il pousse un rugissement, crache un jet de flammes orange... Puis une clé d'argent et un gant brûlé tombent sur le sol.

Les hurlements du chevalier résonnent dans le ciel. La Bête disparaît au loin et le silence retombe. La mission de Caldor a échoué.

Un feu mystérieux

— Rends-toi, traître ! s'écrie Tom, le regard fixé sur son ennemi. Ou tu auras affaire à mon épée !

D'un geste ferme, le garçon frappe le sac de foin avec son bâton.

— Te voilà vaincu ! Un jour, je serai le meilleur guerrier d'Avantia. Encore plus fort

que mon père, Taladon l'Agile !

Dès que Tom pense à lui, son cœur se serre. Son oncle et sa tante, qui l'élèvent depuis qu'il est bébé, ne parlent jamais de Taladon et le garçon ne sait pas pourquoi son père l'a laissé à la mort de sa mère.

Alors qu'il repart vers le village, il sent soudain une odeur de brûlé. Il entend un léger crépitement et un souffle d'air chaud arrive jusqu'à lui. Tom court entre les arbres et débouche dans

un champ de blé. Tout a brûlé, et les épis fument encore. Que s'est-il passé ?

Le garçon cligne des yeux. Un instant, il croit voir une ombre se déplacer dans le lointain, en direction des collines. Puis plus rien.

— Qui est là ? s'exclame une voix furieuse.

À travers le rideau de fumée, Tom aperçoit la silhouette d'un paysan.

— Tu es arrivé par le bois ? demande l'homme. Tu as vu quelqu'un ?

— Non, personne.

— Le village d'Errinel est maudit ! Va prévenir ton oncle !

Aussitôt, Tom part en courant.

À bout de souffle, il arrive sur la place du village. Que font tous ces gens dehors ? Ce n'est pourtant pas jour de marché. Ils crient et agitent les mains en direction de son oncle Henry, debout sur un banc.

— C'est pire de jour en jour ! lance un villageois.

— Les Bêtes sont devenues maléfiques ! dit un autre.

— Vous avez vu le niveau de la rivière ? ajoute une femme. Nous allons manquer d'eau !

— La malédiction est sur nous, gémit un vieil homme.

— Je ne crois pas aux sortilèges, dit Henry d'un ton ferme. Notre village a besoin d'aide. Il faut aller trouver le roi.

— Moi, j'irai au palais, propose Tom.

— Quoi ? Le roi se moquerait de nous si on chargeait un enfant d'une telle mission ! rient les villageois.

— Tu es trop jeune, dit son oncle. Puisque je suis le chef du village, j'irai.

Soudain, un garçon arrive en criant :

— À l'aide ! Notre grange est en feu !

— Que les hommes aillent remplir des seaux à la rivière ! ordonne Henry. Les autres, prenez vos pelles pour étouffer l'incendie. Vite !

Tous s'empressent d'obéir.

— Le village a besoin de toi, dit Tom à son oncle. Laisse-moi y aller, je t'en prie.

— Je savais bien que, tôt ou tard, il te faudrait découvrir le monde. C'est peut-être ton destin... Bon, c'est d'accord. Tu partiras demain pour le palais, à la première heure.

Chapitre deux

Vers la Cité

Il fait encore nuit quand Tom quitte son village. Mais quand le soleil se lève, il se rend compte que plusieurs champs ont brûlé et que les rivières sont à sec.

Malgré ses courbatures et ses pieds qui lui font mal, il marche toute la journée. Tandis qu'il se rapproche de la Cité, d'autres

voyageurs le rejoignent sur la route poussiéreuse. Les cavaliers le dépassent au galop et des ânes chargés de paquets avancent péniblement, conduits par des familles qui fuient la famine ou d'autres dangers. En voyant qu'il n'est pas le seul à se rendre au palais, Tom accélère le pas.

Quand il franchit enfin les larges portes de la Cité, il se sent à nouveau plein d'énergie. Il se fraye un passage dans les rues étroites et encombrées, et aperçoit les tours et les dômes de verre de

l'immense palais. Il n'a jamais rien vu d'aussi beau !

Dans la cour, une longue file s'est formée devant lui.

— Je suis venu voir le roi, dit-il à un soldat.

— Tu dois d'abord faire la queue, répond l'homme en riant.

— Je ne peux pas attendre ! Mon village a besoin d'aide !

— Nous aussi, réplique un homme. Au bord de l'océan, nos terres sont inondées !

— Il y a de terribles tempêtes de neige dans le nord, dit à son tour une vieille

femme. Le royaume est en danger... À cause des Bêtes ! ajoute-t-elle d'un air mystérieux.

Malgré la longue file, il compte bien remplir sa mission.

« Tant que je serai vivant, je ferai tout pour sauver mon village ! » se promet-il en quittant la cour.

Tom attend la nuit pour explorer les murailles. Il cherche une fenêtre ou une porte ouverte, mais des sol-

dats sont postés tout autour du palais. En arrivant à un portail gardé par deux hommes en uniforme, il entend soudain des pas derrière lui. Un garçon en haillons, couvert de boue, sort de l'obscurité. Il doit avoir le même âge que Tom et serre dans sa main un gant et un parchemin.

— Je dois voir le roi. Je viens de la part de Messire Caldor ! Ouvrez !

Les gardes se précipitent pour porter secours au garçon. Voyant qu'ils ont le dos tourné, Tom saisit sa chance et s'élance vers le portail entrouvert.

Chapitre trois

À la cour du roi

Lentement, Tom se faufile dans la cour. Une odeur de viande grillée flotte depuis une porte ouverte et il entend son estomac gargouiller.

« Les cuisines, se dit-il. En passant par là, je trouverai peut-être un moyen d'arriver jusqu'au roi. »

Dès qu'il entre, la chaleur de la salle lui rappelle la forge de son

oncle. Des servantes s'activent au-dessus d'énormes chaudrons suspendus dans les cheminées ou disposent de la nourriture sur des plateaux d'argent.

— Te voilà enfin ! s'écrie une grosse femme. Tu dois être le nouveau marmiton !

— Quoi ? Euh... Oui, c'est moi, répond Tom.

— Je suis la cuisinière. Dieu merci, tu es là ! Deux servantes sont malades, et le souper du roi est prêt. Tu vas nous aider.

On lui montre rapidement

comment tenir un plateau, puis Tom et les autres serviteurs se rendent dans la salle à manger royale.

Le cœur battant, le garçon aperçoit le roi Hugo, assis à une longue table éclairée à la bougie. Les cheveux bruns, de grands yeux marron, vêtu de robes de velours vert, il paraît plutôt jeune. Des seigneurs et des dames aux visages graves l'entourent.

« Il faut que je lui parle », pense le garçon, qui redresse les épaules et se dirige vers lui.

Un petit homme âgé, avec

une longue barbe, est assis près du roi. Il porte un manteau de soie bleu et rouge, ainsi qu'un chapeau pointu. À la lueur des bougies, ses yeux gris semblent aussi brillants que le bijou qu'il a autour du cou.

« On dirait un sorcier... » songe Tom.

— Eh oui ! Un messager aurait l'air ridicule dans ces habits ! lui répond le vieil homme en souriant.

— Vous lisez dans mes pensées !? s'étonne le garçon.

— Parce que je suis un sor-

cier. Le sorcier Aduro, murmure-t-il, en examinant Tom. Et toi, qui es-tu ?

Les portes s'ouvrent brusquement. Le garçon que Tom a vu près des murailles entre précipitamment dans la salle, une clé et un parchemin à la main.

— Pardonnez-moi, Sire. Je suis Édouard, l'écuyer de Caldor le Brave. Mon maître... Il est mort !

— Mort ? répète le roi Hugo en se levant d'un bond. C'est impossible !

— Ferno l'a tué, répond le

garçon, les larmes aux yeux.

— Le plus courageux de mes chevaliers a disparu ! s'exclame le roi. Avantia est condamné !

— Le conseil royal va se réunir en urgence, annonce calmement Aduro. Je demande à tous les serviteurs de quitter les lieux.

Tandis que les gardes ordonnent aux domestiques de se dépêcher, Tom court se cacher derrière un pilier, tout près du fauteuil du roi. Son cœur bat si fort qu'il a peur qu'on l'entende.

— Que le sorcier Malvel

soit maudit ! s'exclame un seigneur. Il faut briser le maléfice qu'il a jeté aux Bêtes !

Un maléfice ? Tom laisse échapper un cri de surprise.

Édouard se retourne d'un bond.

— Qui est là ?

— Un espion ! s'écrie le roi.

— Je vous en prie, je vais tout vous expliquer, dit Tom en voyant deux gardes se précipiter vers lui.

Il parvient à les éviter, mais un troisième essaie de l'attraper par les jambes et le gar-

çon bondit hors de portée.

— Je suis venu sauver des vies ! lance Tom.

— Emmenez-le au cachot ! ordonne Hugo.

Aduro s'avance.

— Il n'a pas de mauvaises intentions, Majesté.

— Vous en êtes certain ? demande le roi.

— Vous n'avez pas remarqué la ressemblance ? dit le sorcier en désignant Tom.

Hugo regarde attentivement le garçon, puis secoue la tête. Tom cligne des yeux. Quelle ressemblance ?

— Laissez-moi vous montrer, dit Aduro.

Une petite flamme violette apparaît au creux de sa main et le roi observe Tom à travers le feu magique.

— C'est impossible ! Le fils de Taladon l'Agile ! s'exclame alors Hugo, les yeux agrandis par la surprise.

Chapitre quatre

La Mission

— Vous connaissez mon père, Majesté ? s'écrie Tom.

— Oh oui, dit Hugo en souriant. Un homme si courageux...

Le roi connaît son père ! Les yeux de Tom se remplissent de larmes.

— Savez-vous où il est à présent ? demande le garçon.

Hugo et Aduro échangent un regard.

— Je ne l'ai pas revu depuis longtemps, dit le roi en balayant la question d'un geste. Comment t'appelles-tu, mon garçon ?

— Tom, répond Aduro. Majesté, je souhaite vous parler en privé.

Tandis que les portes se referment derrière les gens de la cour, le sorcier prend le roi à part, mais Tom ne parvient pas à comprendre ce qu'ils se murmurent d'un ton passionné.

Hugo finit par lui faire signe de les rejoindre. Le garçon s'approche avec nervosité.

— Tu sais que notre royaume est en danger, lui dit le roi. Malvel contrôle les créatures qui protégeaient nos territoires depuis des siècles. Même mes chevaliers n'arrivent plus à les dompter.

— Qui est ce Malvel ? demande Tom.

— Un sorcier atteint d'une terrible maladie : la jalousie.

— Il était jaloux du Maître qui contrôlait les Bêtes, poursuit Aduro. Malvel a découvert ses pouvoirs secrets. Il a ainsi pu briser le lien magique qui unissait le Maître et ses

créatures. Depuis, le Maître est son prisonnier et les Bêtes n'obéissent plus qu'à Malvel.

— Que doit-on faire ? demande le garçon.

— Notre seul espoir ? Trouver quelqu'un qui libère chaque Bête, l'une après l'autre, répond Aduro. Mais nous devons cacher leur existence à notre peuple. Ces créatures ne pourront plus remplir leur mission si on ne les laisse pas en paix.

— Seul un héros peut réussir, murmure Hugo. La magie d'Aduro m'a montré que tu

étais courageux et honorable. Je suis sûr que tu vaux bien tous les chevaliers du royaume, ajoute-t-il en souriant. Le destin t'a envoyé jusqu'à nous, Tom, et je souhaite te confier une mission secrète…

Un frisson d'excitation parcourt le garçon.

— Es-tu prêt à risquer ta vie pour libérer les Bêtes ? demande le roi en se penchant vers lui.

— J'accepte ! répond Tom sans hésiter.

Chapitre cinq
Tempête

Le lendemain matin, Tom se réveille tôt. Il regarde autour de lui, un peu perdu, puis se souvient : il a dormi dans une chambre du palais ! Il bondit de son lit, très excité. Quelqu'un a déposé des vêtements neufs sur un coffre de bois. Ravi, le garçon enfile un pantalon marron, une tunique de laine à manches longues et un gilet en cotte de mailles qu'il cache sous un manteau court. Après tout, sa quête doit rester secrète.

Il sourit avec fierté et se regarde dans le miroir.

« Est-ce que je suis capable de réussir, là où de courageux chevaliers ont échoué ? » se demande-t-il.

— Bien sûr, répond une voix douce, juste derrière lui.

Tom sursaute. Aduro est entré dans la pièce, une épée et un bouclier à la main. Le garçon s'agenouille devant le sorcier, qui lève l'épée au-des-

sus de sa tête. Durant un instant, Tom a l'impression de la voir étinceler. Puis Aduro pose doucement la pointe de la lame sur la poitrine de Tom.

— Que ce jeune héros trouve en lui la force de sauver Aventia ! déclare le sorcier.

Gentiment, il aide Tom à se relever et lui tend l'arme.

— Elle est à toi, et le bouclier aussi.

Le garçon est un peu déçu de voir qu'il est moins beau que celui des chevaliers qui traversent parfois son village.

— Ne te fie pas aux apparences, dit Aduro en souriant. Durant ta quête, tu te feras des alliés étranges, dans des lieux inattendus. Mais tu es intelligent. Fais confiance à ton instinct.

Ensuite, il sort de sa poche un parchemin identique à

celui qu'Édouard a apporté au roi. Il s'agit d'une carte d'Avantia, qui prend vie sous les yeux de Tom ! Des arbres, des collines et des montagnes aussi hautes que son pouce surgissent du papier. Prudemment, il touche un sommet enneigé et son doigt se couvre de givre. Surpris, il lève les yeux vers Aduro.

— Regarde mieux, lui ordonne celui-ci.

Sur le parchemin, Tom voit alors de petits sentiers qui mènent vers le sud-ouest, où se dresse une sombre montagne.

— La montagne de Ferno...

Le sorcier lui tend la clé qu'Édouard a rapportée, pendue au bout d'un cordon de cuir qu'il passe autour du cou du garçon.

— Grâce à cette clé, tu pourras débarrasser Ferno du collier magique qui l'emprisonne.

— Je ferai de mon mieux, promet Tom.

Tous deux se rendent dans la cour, où les attend un cheval noir. En les voyant, il pousse un hennissement et secoue sa crinière.

— Voici Tempête, dit Aduro. Il est jeune et rapide.

L'animal trotte vers eux et pose son nez sur l'épaule du garçon.

— Je crois qu'on va bien s'entendre, Tempête.

Tom grimpe en selle, puis Aduro lui tend son épée et son bouclier.

— Et mon village ? Ma famille va s'inquiéter…

— Une charrette d'eau et de nourriture est en route pour Errinel. Le conducteur dira à ton oncle que tu es parti en mission pour le roi.

— Merci, Aduro.

— Adieu, mon jeune ami. Tous nos espoirs t'accompagnent.

Tom guide le cheval vers la sortie. Tempête traverse la cour au trot et gagne les rues de la Cité en évitant les carrioles et les passants.

— Plus vite ! l'encourage-t-il en apercevant devant lui les portes de la ville.

Le cheval les franchit au galop et Tom pousse un cri de joie. Son aventure peut commencer !

En fin d'après-midi, Tom arrive dans une forêt peu accueillante… Mais la carte indique que c'est le chemin le plus court vers la montagne du dragon. Le sentier qui s'enfonce dans les bois est étroit, et plus ils avancent

sous le ciel sombre, plus les arbres semblent hauts. Tom, paniqué, a même l'impression que les branches tordues cherchent à l'attraper.

Le sentier s'arrête dans une petite clairière. Le garçon met pied à terre et, à l'aide de son épée, se fraye un chemin dans les épaisses broussailles. Soudain, il entend un bruit. Il s'immobilise, à l'écoute, certain qu'une chose horrible l'observe.

Grrrr !

Des crocs jaunes et brillants se referment tout près du

visage de Tom, qui pousse un cri et recule le plus vite possible.

Un loup !

La fourrure grise et blanche de l'animal est emmêlée. Ses yeux orange fixent le garçon d'un air cruel. Ses grosses pattes se terminent par des griffes mortelles. Les babines retroussées, il se prépare à bondir !

Chapitre six

La forêt de la peur

Tempête se dresse sur ses pattes arrière tandis que Tom se jette dans les broussailles. Mais le loup ne les attaque pas… ce n'est pas contre eux qu'il grogne, mais contre trois hommes armés d'arcs et d'épées qui ont surgi devant eux. Leurs yeux sont à peine visibles derrière les fentes de leurs casques. Les grognements

du loup se font plus féroces.

— Nous allons donner une bonne leçon à cette sale bête ! lance un des soldats, en visant l'animal à la tête.

— Non ! s'écrie Tom en sortant de sa cachette.

Au même instant, l'homme décoche sa flèche. Sans réfléchir, Tom brandit son épée et tranche la petite flèche en deux.

— Un autre voleur ! Attrapez-le !

Un soldat se précipite vers Tom, mais le loup se jette entre les jambes de l'homme, qui perd l'équilibre. Le garçon

s'empare des rênes de Tempête, grimpe en selle et fonce sur les soldats, les obligeant à s'enfuir dans la forêt. Devant lui, rapide comme le vent, le loup s'est engagé dans un sentier étroit et Tom le suit au galop.

Une fois qu'ils se sont éloignés, ils s'arrêtent. Soudain, une silhouette saute d'un arbre : une grande fille, un peu maigre, vêtue d'un pantalon et d'une chemise sale, armée d'un arc et d'un carquois, se tient devant eux. Ses cheveux courts sont ébourif-

fés, son visage est couvert d'égratignures. Elle s'accroupit près du loup et observe le garçon avec méfiance.

— Je m'appelle Tom, dit celui-ci en mettant pied à terre. Ce loup nous a aidés à échapper aux soldats.

L'animal se tourne vers le garçon et pose son museau dans sa main.

— Silver a l'air de bien t'aimer, remarque-t-elle avec un sourire chaleureux. S'il te fait confiance, alors moi aussi.

— C'est ton loup ? demande Tom.

— Oui. Il était blessé et je l'ai soigné. Depuis, nous sommes amis. Je suis Elena, ajoute-t-elle en serrant la main de Tom.

— Qu'est-ce que tu fais dans la forêt ?

— Mon oncle est pêcheur. Mais comme la rivière est à sec, je suis venue ici pour chasser des lapins. Les soldats ont cru que je voulais tuer les daims du roi, et ils nous ont poursuivis...

Tout à coup, ils entendent des cris derrière eux. Tempête

se cabre et la fourrure de Silver se hérisse.

— Ils nous ont retrouvés ! s'écrie Tom.

Il grimpe sur le dos de son cheval, attrape Elena par la main et l'aide à monter derrière lui. Aussitôt, Tempête part au galop à travers la forêt, tandis que Silver court à côté d'eux. Très vite, les voix des soldats s'évanouissent et Tom, soulagé, ralentit l'allure.

Ils arrivent dans une clairière. Elena descend de cheval.

— Tu es trop jeune pour être un chevalier, mais tu

portes une cotte de mailles…

Tom hésite. Il sait que sa quête doit rester secrète, mais Elena lui inspire confiance.

— C'est à cause des Bêtes… on m'a choisi pour les libérer d'un maléfice.

— Toi ? Mais tu es très jeune !

Elle le regarde fixement, mais Tom ne baisse pas les yeux.

— J'ai toujours pensé que les Bêtes existaient pour de bon…, ajoute-t-elle.

— C'est vrai. Mais un sorcier leur a lancé un sort. Ferno…

— Le dragon ? s'écrie Elena d'un air surpris.

— Oui. Ferno brûle les récoltes et assèche les rivières. Je dois l'arrêter avant que la famine s'installe.

Elle se mord la lèvre, puis hoche la tête.

— Tu ne pourras pas le combattre seul. Je t'accompagne !

Tom est ravi à l'idée d'avoir une amie à ses côtés. Mais il se rappelle soudain ce qui est arrivé à Caldor.

— Non, c'est trop risqué ! répond-il.

— Tu nous as aidés à échap-

per aux soldats. À notre tour de te porter secours. Et puis, je connais bien la région… S'il te plaît…

— Et ta famille ?

— Mes parents sont morts dans un incendie il y a cinq ans. Depuis, je vis chez mon oncle.

— Moi aussi, je vis chez mon oncle, s'exclame Tom.

— Je ne connais pas ton oncle, mais le mien ne remarquera sûrement pas mon absence…

— Dans ce cas… c'est d'accord ! lui dit-il.

Elena laisse échapper un cri de joie et Silver saute autour d'elle en jappant.

— Bon, où se cache ce dragon ? demande-t-elle.

Chapitre sept

L'aube du Dragon

Tom, Elena, Silver et Tempête avancent depuis deux jours. Ils ont quitté la forêt et traversent à présent une grande plaine.

Quand le soir tombe, ils s'arrêtent pour camper, épuisés. Ils allument un feu, puis dorment d'un sommeil de plomb, pendant que Silver monte la garde.

Le lendemain matin, Tom sort sa carte.

— Laisse-moi regarder ! s'écrie Elena, fascinée.

— Nous ne sommes plus très loin de la montagne de Ferno, explique le garçon. La Rivière Sinueuse devrait être proche, mais pour l'instant, nous ne l'avons pas vue...

— Elle est peut-être bloquée, répond son amie en indiquant au loin un énorme tas de roches empilées.

— Tu dois avoir raison... Allez ! En route !

Le soleil se lève lentement et la brume disparaît. Ils observent le paysage : la vallée, les collines et les montagnes. Tom sent un frisson d'impatience l'envahir. Son destin l'attend...

Plus tard dans la journée, ils arrivent sur un plateau où le brouillard est plus épais.

Soudain, Tempête pousse un hennissement et la fourrure de Silver se hérisse. Son bouclier et son épée bien en main, Tom fait quelques pas

et aperçoit une forme immobile devant lui.

— On dirait des rochers... Je vais les explorer de plus près.

— Je viens avec toi, déclare Elena d'un ton ferme, tout en prenant une flèche dans son carquois.

Tom sait qu'il est inutile de discuter. Il lui sourit, content qu'elle soit près de lui.

Ils laissent Tempête et Silver derrière eux et grimpent la pente glissante. Soudain, le garçon sent un léger tremblement sous ses pieds.

Ils s'arrêtent, à l'écoute. Une vibration régulière... comme un cœur qui bat... Tom se penche vers la roche luisante...

« Des écailles ? »

— Demi-tour ! crie-t-il à Elena. C'est la peau du dragon !

Il attrape la main de son amie, quand un rugissement effrayant résonne autour d'eux. Le sol se met à trembler. Ils dévalent la pente pour rejoindre les animaux, eux aussi très agités. Tom n'a jamais eu aussi peur de toute sa vie.

— Qu'est-ce qu'on fait, maintenant? demande Elena. On s'enfuit?

Le garçon serre son bouclier et essaie de réfléchir. Il est en mission pour le roi – il ne peut plus reculer, à présent. Mais il n'a pas le temps de répondre: la Bête a déjà ouvert ses ailes et monte len-

tement dans les airs, cachant la lumière du soleil. Sa tête bleue est couverte de pointes et, autour de son cou, le collier magique brille étrangement.

Tom est sous le choc : Ferno est aussi large qu'une montagne ! Il n'a aucune chance contre une telle créature !

Il lance un coup d'œil à Elena, qui tient courageusement son arc.

« Tant que je vivrai, se dit-il, plein d'énergie, je me battrai ! Pour le roi et pour mon père ! »

Il observe à nouveau le dragon.

— Nous devons lui enlever ce collier.

— Comment on va faire pour l'atteindre ? demande Elena.

Lentement, la Bête baisse son museau et les fixe de ses yeux rouges, étincelants. Tom plonge son regard dans le sien, comme hypnotisé. Ferno est si près que le garçon sent son souffle chaud sur son visage.

Soudain, Tom se réveille et brandit son épée. Le dragon

déroule sa longue queue, qui fouette l'air. Aussitôt, Silver bondit vers la Bête et plante

ses crocs dans la queue écaillée. Mais le dragon l'agite violemment et se débarrasse du loup, qui retombe sur le sol.

— Silver ! s'écrie Elena en courant vers lui.

— Non ! hurle Tom. Reste ici !

Trop tard. Ferno, qui a repéré la jeune fille, ouvre grand sa gueule, pousse un rugissement furieux et se prépare à attaquer.

« Elle n'a aucune chance de s'en sortir ! » se dit Tom, horrifié.

Chapitre huit

Le combat final

En un éclair, Tom se tourne et siffle Tempête, qui arrive près de lui au galop. Le garçon saute en selle.

— Allons sauver Elena !

Le cheval bondit en avant, dépasse la jeune fille et le loup. Tom se laisse tomber à terre, atterrit maladroitement sur le sol. Une affreuse douleur traverse sa

cheville, mais ce n'est pas le moment d'y penser.

Le dragon rugit et crache une boule de feu. Aussitôt, Tom se jette devant son amie et lève son bouclier. La boule de feu retombe si violemment sur la plaque de bois que le garçon doit reculer. La fumée envahit sa gorge. Les flammes sifflent autour de lui et brûlent les rebords du bouclier, qui suffit pourtant à les protéger.

Le dragon s'éloigne, mais Tom sait qu'il va revenir. Il jette son bouclier sur le sol

pour l'éteindre, puis aide Elena à se relever.

— On doit sauver Silver, dit-elle, en voyant le loup étendu, immobile.

— Il faut d'abord s'occuper du dragon, réplique Tom, qui grimpe en selle.

— Qu'est-ce que tu vas faire ?

— Libérer Ferno ! Souhaite-moi bonne chance ! s'écrie-t-il avant de s'éloigner au galop dans la direction que la Bête a prise.

Quelques secondes plus tard, le dragon se dresse

devant Tom, ouvre ses grandes ailes et se prépare à frapper.

Malgré sa cheville qui le fait souffrir, le garçon s'accroupit sur la selle et attend que Tempête passe près de Ferno pour sauter. Il retombe sur une aile dure comme de la pierre et tente de s'y accrocher, mais se sent glisser... Le dragon pousse un sifflement de colère et tourne la tête vers lui.

Tom en profite pour s'agripper au collier, sortir la clé et la faire entrer dans la serrure. Mais la Bête agite la tête dans

tous les sens ! Soudain, la clé s'échappe des doigts de Tom et tombe vers le sol.

— Non ! s'écrie-t-il.

La victoire était pourtant si proche !

Soudain, plus bas, il aperçoit Elena, grimpée sur le dos de Tempête. Elle s'apprête à tirer une flèche... droit sur lui !

— Tom ! Sers-toi de ton bouclier ! lance-t-elle.

Sans comprendre, il brandit son bouclier devant lui. Au même instant, Elena décoche sa flèche, qui vient se planter

dans le bois, avec, à son bout, la clé !

Le dragon crache une autre boule de feu en direction de la jeune fille, mais Tempête est plus rapide et tous deux sont vite hors de portée.

Tom sent ses forces revenir. Il enfonce la clé dans la ser-

rure, qui s'ouvre avec un petit *clic*. Un instant, une lueur bleue illumine le collier, qui disparaît comme par enchantement.

Aussitôt, ne pouvant plus s'agripper à rien, il se sent basculer vers le sol... Quand soudain, la clé qu'il tient encore en main s'élève au-dessus de sa tête ! Elle ralentit sa chute et le vent le transporte vers Elena et Tempête. Il atterrit doucement près d'eux.

— Tom ! On aurait dit que tu volais ! s'exclame son amie.

— Oui ! C'est grâce à la clé, répond-il, sentant ses peurs et ses doutes se dissiper.

Au même moment, Silver sort du nuage de fumée et bondit près d'eux. Elena le serre contre elle.

— Et le dragon ? demande-t-elle, inquiète.

Tom se tourne vers Ferno, qui vole au-dessus d'eux.

— Tu es libre, à présent, lui dit-il gentiment. Libre de protéger nos terres et de veiller sur notre peuple.

La Bête secoue ses ailes, baisse la tête vers le garçon, le

salue, puis prend son envol. Il se dirige vers la rivière et, d'un coup de queue, disperse les rochers qui bloquaient l'arrivée de l'eau.

— Ce n'est que le début, Malvel ! s'exclame Tom. Je continuerai tant que je n'aurai pas libéré toutes les Bêtes !

Les deux amis regardent Ferno boire dans la rivière, puis s'envoler à nouveau et disparaître à l'horizon.

— Comment tu te sens ? demande Elena.

— Comme un héros ! réplique Tom, en souriant.

Tempête hennit et Silver pousse un hurlement, comme si tous deux étaient d'accord avec lui. Elena et Tom éclatent de rire.

— Reste à savoir ce qui nous attend maintenant..., dit le garçon.

Chapitre neuf

Une autre mission

— Regarde ! dit Elena. Une lumière sort de ta poche !

Tom tire aussitôt la carte qui s'y trouve et la déroule. Une bouffée de fumée argentée s'échappe du palais du roi. Un visage aux yeux pétillants apparaît.

— Aduro ! s'écrie le garçon.

— Bravo, Tom ! le félicite le

sorcier. À toi aussi, Elena. Vous avez été très courageux. De vrais héros.

— Comment faites-vous pour nous voir ? demande Tom.

— Tu te souviens du bijou

autour de mon cou ? Il me permet de surveiller tout ce qui se passe dans le royaume.

— Alors, vous avez vu ce qui vient d'arriver ?

— Oui, répond Aduro. Et je l'ai annoncé au roi Hugo. Tout le palais fête votre victoire. Êtes-vous prêts pour votre prochaine mission ?

— On doit libérer les autres Bêtes ! répond le garçon, à la fois nerveux et excité.

— Oui, dit le sorcier. Mais avant, j'ai un cadeau pour vous.

— Un cadeau ? Où ça ? demande Elena.

Tom remarque alors un objet brillant accroché à une branche d'arbre. Il court le chercher : c'est une écaille de dragon, rouge foncé.

— Que c'est beau, murmure-t-il, on dirait un rubis.

— Place-la sur ton bouclier. Ainsi, il te protégera du feu.

Le garçon obéit et le bois du bouclier se referme sur les bords de l'écaille.

— À présent, suivez le chemin indiqué !

Tom et Elena baissent les yeux vers la carte, où se

déroule un sentier qui part vers le Vaste Océan.

— Et nos familles ? demande Tom.

— Ne vous inquiétez pas, nous les avertirons, promet Aduro. Mais votre quête doit rester secrète. Bonne chance, mes amis !

Le visage du sorcier disparaît déjà.

— Attendez ! s'écrie Tom. Et mon père ? Qu'est-ce qu'il est devenu ?

— Il te reste beaucoup à apprendre, Tom, répond Aduro. Adieu…

Le sorcier a disparu, ne laissant derrière lui qu'une petite étincelle.

Tom examine la carte : le chemin s'arrête devant un minuscule serpent de mer. À l'idée de devoir combattre un monstre pareil, le garçon frissonne.

Pourtant, Aduro a raison, il n'y a pas de temps à perdre. Il grimpe sur le dos de Tempête tandis qu'Elena s'installe derrière lui et que Silver se met en route à leurs côtés.

— En avant ! s'écrie Tom,

levant bien haut son épée vers le ciel.

Il ne sait pas encore ce qui l'attend, mais il se sent prêt.

Fin

Ferno le dragon est libre ! Tom a réussi, là où les chevaliers du roi ont échoué. Mais sa quête ne fait que commencer... Accompagné de sa nouvelle amie Elena, il doit partir délivrer une autre Bête magique : Sepron, un serpent de mer qui s'en prend aux villages de pêcheurs et fait fuir les poissons. Une mission encore plus risquée que la précédente...
Tom sera-t-il capable de libérer le monstre du sortilège ?

Découvre la suite des aventures de Tom dans le tome 2 de **Beast Quest** :

LE SERPENT DE MER

hachette s'engage pour l'environnement en réduisant l'empreinte carbone de ses livres. Celle de cet exemplaire est de :
300 g éq. CO_2
Rendez-vous sur
www.hachette-durable.fr

Imprimé en Espagne par Cayfosa
Dépôt légal : juin 2015
Acheve d'imprimer : octobre 2016
20.1537.8/21 – ISBN 978-2-01-201537-1
Loi n°49-956 du 16 juillet 1949
sur les publications destinées à la jeunesse

Table

hachette s'engage pour l'environnement en réduisant l'empreinte carbone de ses livres. Celle de cet exemplaire est de :
300 g éq. CO_2
Rendez-vous sur www.hachette-durable.fr

Imprimé en Espagne par Cayfosa
Dépôt légal : juin 2015
Acheve d'imprimer : octobre 2016
20.1537.8/21 – ISBN 978-2-01-201537-1
Loi n°49-956 du 16 juillet 1949
sur les publications destinées à la jeunesse